Lucien, le pingouin musicien

L'auteur-illustrateur

Depuis tout p'tit, Jean-Marc Mathis a traîné
sur des chantiers avec son maçon de père.
Après sa formation de dessinateur en bâtiment,
il traça même les plans de son château idéal.
Bref, Jean-Marc était destiné à faire carrière dans le bâtiment.
Mais... la passion du dessin et le besoin de raconter
furent les plus forts et l'ont emporté.

Du même auteur, dans la même collection :

Hou, l'animal!
Le chien qui souriait à l'envers
Claude Zilla

Loi n° 49-956 du 16 juillet 1949
sur les publications destinées à la jeunesse : janvier 2000.

ISBN : 2-266-09397-5
Dépôt légal : janvier 2000.
Imprimé en France par Pollina, 85400 Luçon - n° 78792

Jean-Marc Mathis

Lucien, le pingouin musicien

“Ah, quelle belle nuit!”
se disait Lucien tout en rêvant
devant le ciel étoilé.

"Et comme la lune est jolie...
Mais elle doit s'ennuyer
là-haut, perdue au milieu
de toutes ces étoiles !
Tiens, je vais lui jouer
un petit air de musique,
je suis sûr qu'elle sera contente !"

Hop ! Hop ! Hop !
Lucien, sa trompette jaune
à la nageoire,
glissa hors de son igloo.

Puis il se dandina
jusqu'au pied
d'un gros bloc de glace
qu'il décida d'escalader.

À peine arrivé au sommet,
Lucien le pingouin
souffla joyeusement
dans sa trompette :

Ta-tatiii !
Ta-tataaa !

Mais les notes de musique
n'arrivaient pas jusqu'à la lune.
Elles montaient...
montaient...

... puis elles retombaient
sur la glace et elles éclataient
comme des bulles de savon :
Plic ! Ploc !

“ **Crotte !** ”
se dit Lucien,
et il souffla de plus belle
dans sa trompette :

Tû-tutuuu !
Ti-titiiii !

Cette fois,
les notes de musique
montèrent très haut dans le ciel...

… mais elles retombèrent
comme les premières…
Plic ! Plic ! Ploc !

“Crotte de nez!”
se dit Lucien,
et il souffla encore plus fort
dans sa trompette :

Ti-titiiii !!

Tû-tutaaaa !!

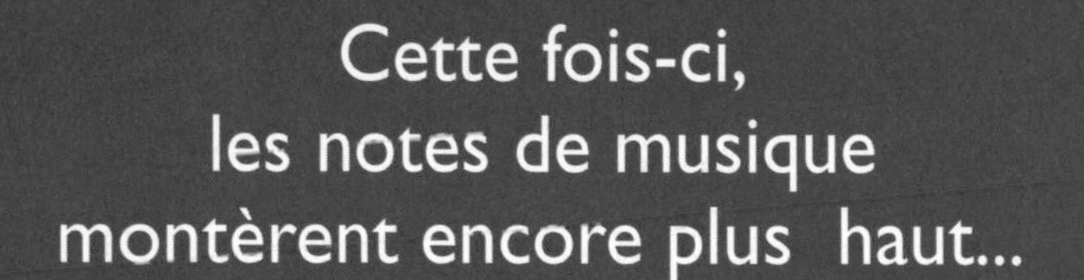

Cette fois-ci,
les notes de musique
montèrent encore plus haut...

... mais elles retombèrent
comme toutes les autres...

Plic ! Ploc ! Ploc !

“Crotte de nez de singe!”
se dit le pingouin.

Il prit alors une longue inspiration...

... et il souffla tellement fort
dans sa trompette
qu'elle

explosa !!

Plaf !

Une énorme note de musique
monta... monta...
bien plus haut
que les nuages et...

… elle disparut
dans le ciel étoilé !

“Crotte de nez de singe qui pue!”
s’exclama Lucien.

“J’ai cassé ma trompette
et je ne sais même pas
si la lune
m’a entendu !”

À peine
le pingouin avait-il dit ces mots
qu'une étoile filante
lui tomba sur la tête.

BING!

Quelque chose était écrit sur l'étoile !

Ce n'est
pas la peine de jouer
aussi fort, je ne
suis pas sourde !
Signé, la lune.

Malgré sa trompette cassée
et une belle bosse sur le crâne,
Lucien
le pingouin musicien
était très content.

Il avait réussi !
La lune avait entendu
sa musique !

"Demain, je m'achèterai
une autre trompette…
et je jouerai pour le soleil !"
décida-t-il.

Bien au chaud dans son igloo,
Lucien le pingouin s'endormit,
le sourire au bec.